LA LUCIÉRNAGA

Colección
La saltapared

© D.R. CIDCLI, S.C.

 Av. México 145-601 Col. del Carmen Coyoacán
Coyoacán, C.P. 04100, México, D.F.

Primera edición, México, 1983.
Quinta reimpresión, México, 2001.

ISBN 968-494-006-8

Diseño: María Figueroa

Las capitulares que aparecen en la presente edición son
de Ludwig Zeller y fueron tomadas del libro *Alphacollage*.
publicado por The Porcupine's Quill, Incorporated.

Impreso en México / *Printed in Mexico.*

LA LUCIÉRNAGA

ANTOLOGÍA PARA NIÑOS DE LA POESÍA MEXICANA CONTEMPORÁNEA

Compilación: Francisco Serrano
Ilustraciones: Alberto Blanco

Colección
La saltapared

CIDCLI, 1994

ÍNDICE

PRESENTACION

La poesía, arte de la palabra, es la forma más alta de comunicación entre los hombres. Poesía quiere decir *creación*. Valiéndose de las palabras, un escritor, un poeta, crea una obra que busca expresar la realidad transformándola mediante su imaginación. La poesía es un arte esencialmente relacionado con la imaginación.

Leer un poema es conversar (imaginariamente) con la persona que lo creó; se trata de una conversación íntima, personal: única. Cada lector recrea a su manera el poema y a cada uno éste le dice cosas nuevas. Escribir poemas y leerlos, recrearlos al leerlos, es, por ello, un formidable estímulo para nuestra capacidad de percibir el mundo: sentimos, pensamos, imaginamos mejor gracias a la poesía. Nuestra imaginación y nuestra conciencia se hacen más grandes cuando entramos en contacto con ella.

La lectura de poemas, además, desarrolla nuestro gusto estético. Este gusto estético es fundamental, pues nos permite distinguir lo que nos gusta de lo que no, y así aprender a elegir lo que es bueno para nosotros. La enseñanza de la poesía, siendo una enseñanza artística, es, también, una enseñanza vital.

Esta selección para niños de algunos poemas de los más importantes poetas mexicanos del siglo XX, intenta acercar a quien los lea al gusto de la poesía. Digamos que son textos de *iniciación* poética.

Una persona escribe un poema por muy diversas razones: para expresar su asombro ante la realidad que lo rodea, para recordar un hecho que le ha impresionado de manera notable, para ganar el corazón de su amada. Prácticamente cualquier cosa puede dar lugar a la poesía.

Como los niños, los poetas saben hacernos compartir la alegría del mundo. Y lo que es también muy importante: nos enseñan a amar el lenguaje, a emplearlo y disfrutarlo, a hacerlo nuestro. El lenguaje, que es la cualidad más duradera que hay en el hombre, se expresa y desarrolla en toda su plenitud a través de la poesía.

Niños: cuando lean estos poemas, no importa que no entiendan perfectamente lo que dicen. Léanlos varias veces, hasta que las palabras *resuenen* dentro de ustedes. Más que comprenderlos, se trata, al principio, de sentirlos: el ritmo, la musicalidad de las palabras, las uniones y ecos de las sílabas, las consonancias, las rimas, despiertan en nosotros imágenes y asociaciones nuevas. Ahí está la poesía: depende de nuestra atención de lectores captarla, vivirla, re-vivirla. Recreamos la poesía al leer los poemas.

Sería bueno que inicialmente los adultos les leyeran los poemas a los niños para ayudar a comunicarles el aspecto oral, audible, de la poesía, esencial para su disfrute. La poesía, aun aquella escrita para ser leída en silencio, hay, por principio, que cantarla. Lean estos poemas cantándolos; los que les gusten recítenlos en voz alta: la armonía, el ritmo, la prosodia de cada uno les indicarán la entonación.

La poesía ayuda a las personas a hacer más hermoso y más pleno el tiempo de su vida.

Esta *Luciérnaga* quiere aproximar a sus lectores al goce de una de las más excelentes formas del arte, a conocer y sentir la belleza del lenguaje actuando en rigurosa libertad...

Francisco Serrano

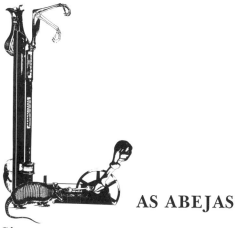

AS ABEJAS

Sin cesar gotea
miel el colmenar;
cada gota es una abeja. . .

EL SAÚZ

Tierno saúz
casi oro, casi ámbar,
casi luz. . .

LOS GANSOS

Por nada los gansos
tocan alarma
en sus trompetas de barro.

LA TORTUGA

Aunque jamás se muda,
a tumbos, como carro de mudanza,
va por la senda la tortuga.

HOJAS SECAS

El jardín está lleno de hojas secas;
nunca vi tantas hojas en sus árboles,
verdes, en primavera. . .

LOS SAPOS

Trozos de barro,
por la senda en penumbra
saltan los sapos.

EL MURCIÉLAGO

¿Los vuelos de la golondrina
ensaya en la noche el murciélago
para luego volar de día. . .?

EL ABEJORRO

El abejorro terco
rondando el foco zumba
como abanico eléctrico.

LUCIÉRNAGAS

Luciérnagas en un árbol. . .
¿navidad en verano?

15

 A ARAÑA

Recorriendo su tela
esta luna clarísima
tiene a la araña en vela.

LA LUNA

Es mar la noche negra,
la nube es una concha,
la luna es una perla.

EL BURRITO

Mientras lo cargan
sueña el burrito amosquilado
en paraísos de esmeralda. . .

UN MONO

El pequeño mono me mira. . .
¡Quisiera decirme
algo que se le olvida!

OTRO POEMA A LA LUNA

La luna es araña
de plata
que tiende su telaraña
en el río que la retrata

UN PÁJARO

un pájaro que trina
musical y breve
como una ocarina
en un almendro
florido de nieve

PECES VOLADORES

Al golpe del oro solar
estalla en astillas el vidrio del mar.

SANDÍA

Del verano, roja y fría
carcajada,
rebanada
de sandía.

UN SAPO

un sapo que deslíe
sOnorO
de Confucio un parangón
y un grillo que ríe burlón. . .

EL LORO

Loro idéntico al de mi abuela,
funambulesca[1] voz de la cocina,
del corredor y de la azotehuela.

No bien el sol ilumina,
lanza el loro su grito
y su áspera canción
con el asombro del gorrión
que sólo canta "El Josefito". . .

De la cocinera se mofa
colérico y gutural,
y de paso apostrofa[2]
a la olla del nixtamal.

Cuando pisándose los pies
el loro cruza el suelo de ladrillo,
del gato negro hecho un ovillo,
el ojo de ámbar lo mira
y un azufre diabólico recela
contra ese íncubo[3] verde y amarillo,
¡la pesadilla de su duermevela[4]!

¡Mas de civilización un tesoro
hay en la voz
de este super-loro
de 1922!

Finge del aeroplano el ron-ron
y la estridencia del klaxón. . .
Y ahogar quisiera con su batahola[5]
la música rival de la victrola. . .

Pero a veces, cuando lanza el jilguero
la canción de la selva en abril,
el súbito silencio del loro parlero
y su absorta mirada de perfil,

recelan una melancolía
indigna de su plumaje verde. . .
¡Tal vez el gran bosque recuerde
y la cóncava selva sombría!

¡En tregua con la cocinera
cesa su algarabía chocarrera,
tórnase hosco y salvaje. . .

El loro es sólo un gajo de follaje
con un poco de sol en la mollera!

1. *Funambulesca:* De funámbulo: volatinero que hace ejercicios en la cuerda o el alambre.

2. *Apostrofa:* Que, de pronto, corta el hilo del discurso o la narración para dirigir la palabra con vehemencia a personas presentes o ausentes, a seres abstractos o cosas inanimadas.

3. *Íncubo:* Se dice del espíritu, diablo o demonio que según la opinión vulgar, tiene relaciones sexuales con una mujer, bajo la apariencia de varón; sueño intranquilo o angustioso.

4. *Duermevela:* Sueño ligero en que se halla el que está dormitando. Sueño fatigoso y frecuentemente interrumpido.

5. *Batahola:* Bulla, ruido grande.

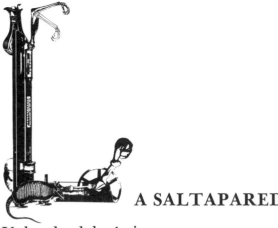

A SALTAPARED[1]

Volando del vértice
del mal y del bien,
es independiente
la saltapared.

Y su principado,
la ermita que fue
granero después.

Sobre los tableros
de la ruina fiel,
la saltapared
juega su ajedrez,
sin tumbar la reina,
sin tumbar al rey. . .

Ave matemática,
nivelada es
como una ruleta
que baja y que sube
feliz, a cordel.

Su voz vergonzante
llora la doblez
con que el mercader
se llevó al canario
y al gorrión también
a la plaza pública,
a sacar la suerte
del señor burgués.

Del tejado bebe
agua olvidadiza
de los aguaceros,
porque transparente
su cuerpo albañil
gratuito nivel.

Y al ángel que quiere
reconstruir la ermita
del eterno Rey,
sirve de plomada
la saltapared.

1. *Saltapared:* Pajarillo del tamaño del gorrión, de
pico ligeramente corvo; de color café con pe-
queñas manchas blancas. Se le denomina así porque trepa por los muros y anda en ellos conti-
nuamente.

ERMANA, HAZME LLORAR. . .

Fuensanta:
dame todas las lágrimas del mar.
Mis ojos están secos y yo sufro
unas inmensas ganas de llorar.

Yo no sé si estoy triste por el alma
de mis fieles difuntos
o porque nuestros mustios corazones
nunca estarán sobre la tierra juntos.

Hazme llorar, hermana,
y la piedad cristiana
de tu mano inconsútil[1]
enjúgueme los llantos con que llore
el tiempo amargo de mi vida inútil.

Fuensanta:
¿tú conoces el mar?
Dicen que es menos grande
  y menos hondo
que el pesar.
Yo no sé ni por qué quiero llorar:
será tal vez por el pesar que escondo,
tal vez por mi infinita sed de amar.
Hermana:
dame todas las lágrimas del mar. . .

EL CAMPANERO

Me contó el campanero esta mañana
que el año viene mal para los trigos.
Que Juan es novio de una
  prima hermana
rica y hermosa. Que murió Susana.
El campanero y yo somos amigos.

Me narró amores de sus juventudes
y con su voz cascada de hombre
  fuerte,
al ver pasar los negros ataúdes,
me hizo la narración de mil virtudes
y hablamos de la vida y de la muerte.

  —¿Y su boda, señor?
                —Cállate, anciano.
  —¿Será para el invierno?
                —Para entonces,
y si vives aún cuando su mano
me dé la Muerte, campanero
  hermano,
haz doblar por mi ánima tus bronces.

1. *Inconsútil:* Sin costura.

SUAVE PATRIA

(Fragmento)

Primer acto

Patria: tu superficie es el maíz,
tus minas el palacio del
  Rey de Oros,
y tu cielo, las garzas en desliz
y el relámpago verde de los loros.

El Niño Dios te escrituró un establo
y los veneros[1] del petróleo el diablo.

Sobre tu Capital, cada hora vuela
ojerosa y pintada, en carretela;
y en tu provincia, del reloj en vela
que rondan los palomos colipavos,
las campanadas caen como
  centavos.

Patria: tu mutilado territorio
se viste de percal[2] y de abalorio[3].

Suave Patria: tu casa todavía
es tan grande, que el tren va por
  la vía
como aguinaldo de juguetería.

Y en el barullo de las estaciones,
con tu mirada de mestiza, pones
la inmensidad sobre los
  corazones. . .

Suave Patria: en tu tórrido festín
luces policromías[4] de delfín,
y con tu pelo rubio se desposa
el alma, equilibrista chuparrosa,
y a tus dos trenzas de tabaco, sabe
ofrendar aguamiel toda mi briosa
raza de bailadores de jarabe.

Tu barro suena a plata,
  y en tu puño
su sonora miseria es alcancía;
y por las madrugadas del terruño,
en calles como espejos, se vacía
el santo olor de la panadería.

Cuando nacemos, nos regalas notas,
después, un paraíso de compotas,
y luego te regalas toda entera
suave Patria, alacena y pajarera.

1. *Veneros:* Yacimientos.

2. *Percal:* Tela de algodón, blanca o teñída y más o
    menos fina.

3. *Abalorio:* Conjunto de cuentecillas de vidrio agu-
    jereadas, con las cuales, ensartándolas se hacen
    collares y pulseras.

4. *Policromías:* Varios colores.

Alfonso Reyes
regiomontano
1889-1959

SOL
DE MONTERREY

No cabe duda: de niño,
a mí me seguía el sol.
Andaba detrás de mí
como perrito faldero;
  despeinado y dulce,
  claro y amarillo:
  ese sol con sueño
  que sigue a los niños.

Saltaba de patio en patio,
se revolcaba en mi alcoba.
Aún creo que algunas veces
lo espantaban con la escoba.
Y a la mañana siguiente,
ya estaba otra vez conmigo,
  despeinado y dulce,
  claro y amarillo:
  ese sol con sueño
  que sigue a los niños.

  (El fuego de mayo
  me armó caballero:
  yo era el Niño Andante,
  y el sol, mi escudero.)

Todo el cielo era de añil;
toda la casa, de oro.
¡Cuánto sol se me metía
por los ojos!
Mar adentro de la frente,
a donde quiera que voy,
aunque haya nubes cerradas,
¡oh cuánto me pesa el sol!
¡oh cuánto me duele, adentro,
esa cisterna de sol
que viaja conmigo!

Yo no conocí en mi infancia
sombra, sino resolana. —
Cada ventana era sol,
cada cuarto era ventanas.

Los corredores tendían arcos
  de luz por la casa.

En los árboles ardían
las ascuas de las naranjas,
y la huerta en lumbre viva
se doraba.
Los pavos reales eran
parientes del sol. La garza
empezaba a llamear
a cada paso que daba.

Y a mí el sol me desvestía
para pegarse conmigo,
   despeinado y dulce,
   claro y amarillo:
   ese sol con sueño
   que sigue a los niños.

Cuando salí de mi casa
con mi bastón y mi hato[1],
le dije a mi corazón:
—¡Ya llevas sol para rato!—
Es tesoro —y no se acaba:
no se me acaba —y lo gasto.
Traigo tanto sol adentro
que ya tanto sol me cansa.—
Yo no conocí en mi infancia
sombra, sino resolana.

---

1. *Hato:* Atado de ropa que uno lleva para las aventuras y los viajes.

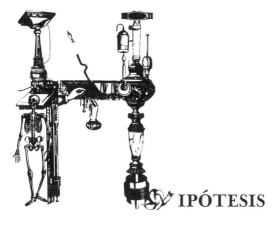

HIPÓTESIS

Un uno sólo es un uno,
pero uno y una son tres.

El agua parece agua
tan cristalina como es.
Si tú no fueras quien eres
tú fueras otra, tal vez.

Si no fueras tú como eres,
tan cristalina como es
el agua no fuera el agua
ni fueran dos y una tres.

El uno siempre es el uno
y el otro no sé quién es.
Si tú no fueras quien eres
todo anduviera al revés.

Sus juicios empezaría
por casa ajena el buen juez
y el pez chico engulliría,
seguramente, al gran pez.

Cada estaca en su perico
y antes que el antes, después.
Los años vendrían primero,
luego el mes
y finalmente los días
como peones de ajedrez.

Si tú no fueras como eres
amor chino, amor francés,
y, amén con otros menesteres
amor con capote inglés.

Si tú no fueras quien eres
"yes". . . "yes". . . "yes". . .
—bendito entre las mujeres—
Don Juan sería Doña Inés.

Si tú no fueras como eres
todo anduviera al revés.
Yo te quiero, tú me quieres,
pues sí, pues. . .

N EL CAMPO

Un indígena y dos bueyes,
lentos y mansos los tres,
   van por el mar de magueyes
   mugiendo y dando traspiés. . .

   Jacal de adobe, a la vera
del camino polvoriento.
   Alguien canta lastimera
   canción que se lleva el viento.

   Mi perro para la oreja,
levanta una pata, y mea
   como por vía de comento[1].

   Y un remolino semeja
descomunal chimenea,
   que macula[2] el firmamento. . .

---

1. *Comento:* Embuste, mentira disfrazada.

2. *Macula:* (De macular). Que mancha una cosa.

Carlos Pellicer
tabasqueño
1899-1977

E STUDIO

A Pedro Henríquez Ureña

Jugaré con las casas de Curazao,
pondré el mar a la izquierda
y haré más puentes movedizos.
¡Lo que diga el poeta!
Estamos en Holanda y en América
y es una isla de juguetería,
con decretos de reina
y ventanas y puertas de alegría.
Con las cuerdas de la lira
y los pañuelos del viaje,
haremos velas para los botes
que no van a ninguna parte.
La casa de gobierno es demasiado
    pequeña
para una familia holandesa.
Por la tarde vendrá Claude Monet[1]
a comer cosas azules y eléctricas.
Y por esa callejuela sospechosa
haremos pasar la *Ronda* de
    Rembrandt[2].
. . . pásame el puerto de Curazao!
    isla de juguetería,
con decretos de reina
y ventanas y puertas de alegría.

VUELO DE VOCES

Mariposa, flor de aire,
peina el área de la rosa.
Todo es así: mariposa,
cuando se vive en el aire.
Y las horas de aire son
las que de las voces vuelan.
Sólo en las voces que vuelan
lleva alas el corazón.
Llévalas de aquí que son
únicas voces que vuelan.

1. *Claude Monet:* Pintor francés. Uno de los maestros de la Escuela Impresionista; nació en París en 1840. Intérprete apasionado de la luz, con frecuencia representó el mismo tema con claridades distintas, según las diferentes horas del día.

2. *Rembrandt:* (1606-1669). Pintor de la Escuela Holandesa. Maestro en la ciencia del claroscuro. Su obra inmensa (retratos, sujetos bíblicos, paisajes) está compuesta de más de 350 pinturas y otro tanto de aguafuertes. *La Ronda* es uno de sus cuadros más notables.

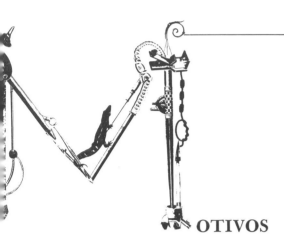

MOTIVOS

Hombre que aras la tierra
tan de mañana,
tus bueyes vienen jalando
la proa del alba.
De tus manos potentes y rojas
caen los limpios granos;
y se humedecen con el rocío
y tu sudor sagrado.
De la garganta de los pájaros
sacas tu música libre,
y te la bebes tan pura como agua
que en jarro ondulante bebiste.
En cada surco nuevo
siembras la esperanza.
Tu fe está en la lluvia.
Lo demás, lo cantas.

Pastor de las crías, tan tiernas
que hay que acariciarlas,
a veces la luna por ti está más cerca
que tu propia casa.
Al mejor paisaje le das tus becerros
y en tus correrías,
tu sed se ha secado con cuatro
   naranjas
compradas al día.
El día es tu feria, tu juguetería.

ESTUDIO

A Carlos Chávez

La sandía pintada de prisa
contaba siempre
los escandalosos amaneceres
de mi señora
la aurora.

Las piñas saludaban el mediodía.
Y la sed de grito amarillo
se endulzaba en doradas melodías.

Las uvas eran gotas enormes
de una tinta esencial,
y en la penumbra de los vinos bíblicos
crecía suavemente su tacto de cristal.

¡Estamos tan contentas de ser así!
dijeron las peras frías y cinceladas.

Las manzanas oyeron estrofas persas
cuando vieron llegar a las granadas.

Las que usamos ropa interior de
   seda. . .
dijo una soberbia guanábana.

Pareció de repente que los muebles
   crujían. . .
Pero ¡si es más el ruido que las nueces!
dijeron los silenciosos chicozapotes
llenos de cosas de mujeres.

Salían
de sus eses redondas las naranjas.

Desde un cuchillo de obsidiana
reía el sol la escena de las frutas.

Y la ventana abierta hacía entrar la
   montaña
con los pequeños viajes de sus rutas.

COSILLAS PARA EL NACIMIENTO

4

Todos los girasoles que fueron
  pájaros
cantan y alumbran.
La mañana se dice
como ninguna.

Lo que pasa es tan claro
y es tan enorme
que con sólo cuatro árboles
se tiene un bosque.

Si al pequeño planeta
le nace un sol
es porque todo es fuego
su corazón.

Quemémonos y ardamos
entre ese fuego
como la sombra limpia
que da la almohada
del mejor sueño.

La colina desnuda
se viste a solas
con toda la mañana
que la rodea y atesora.

¿Quiénes son estos Reyes
de ámbar y oro
que en un rayo de luz
han llegado sonoros?

Al hijo de un obrero le llaman Rey.
Es el Rey de la Vida.
Es la Paz y el Amor.

El mundo pequeñito
se ha vuelto enorme
porque Dios ha nacido
para los hombres.

Porque Dios ha nacido
bajo la noche,
la noche será el pozo lleno
  de estrellas
que nos asombre.

Saltará el corazón
en la paz de la noche.

10

Por el agua y la tierra,
noche en el aire.
Por el agua del día
vienen los ángeles.

Apenas en el mundo
un Niño cabe:
pedacitos de cielo
son sus pañales.

Como un pájaro nuevo
la noche canta.
Hay palabras y estrellas
en su garganta.

Lo que dice la noche
del agua sale.
Porque nadie lo ve,
todo se sabe.

Sabía del Niño,
se sabía del aire,
de la noche en el agua
cítara y ángeles.

EL SABOR DEL MAR

El sabor del mar
es un sabor que me pone a cantar.

EXÁGONOS

A José Juan Tablada

¡Exágono!
Exágonos:
en la fuente colonial
y en la mañana de la joyería.
En el cangrejo crepuscular
y en el farol de la esquina.
En un salón exagonal
el astrónomo viene de otra vida.
Cantos de cantar
—exágonos—
en la latitud del alma mía.
Cantos de cantar.

II

Cuando el trasatlántico pasaba
bajo el arco verde oro de la aurora,
las sirenas aparecieron coronadas
con las últimas rosas
pidiéndonos sandwiches y
  champagne.
Se olvidaron las islas, y se hundieron
  las costas.

XIV

Desde alta mar,
muy cerca de la estrella Polar,
pienso en la Catedral.
Los hombres se tiran desde sus torres.
La Catedral que se apodera de
  la noche
y la vuelve colonial.

XXI

El buque ha chocado con la luna.
Nuestros equipajes, de pronto, se
  iluminaron.
Todos hablábamos en verso
y nos referíamos los hechos más
  ocultados.
Pero la luna se fue a pique
a pesar de nuestros esfuerzos
  románticos.

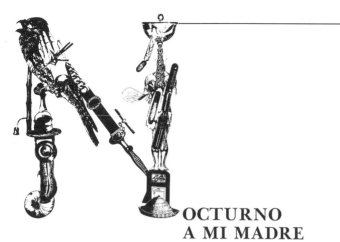

NOCTURNO A MI MADRE

(Fragmento)

Hace un momento
mi madre y yo dejamos de rezar.
Entré en mi alcoba y abrí la ventana.
La noche se movió profundamente
  llena de soledad.
El cielo cae sobre el jardín oscuro
y el viento busca entre los árboles
la estrella escondida de la oscuridad.
Huele la noche a ventanas abiertas,
y todo cerca de mí tiene ganas
  de hablar.
Nunca he estado más cerca de mí
  que esta noche:
Las islas de mis ausencias me han
  sacado del fondo del mar.

Hace un momento,
mi madre y yo dejamos de rezar.
Rezar con mi madre ha sido siempre
mi más perfecta felicidad.
Cuando ella dice la oración
  Magnífica,
verdaderamente glorifica mi alma
  el Señor y mi espíritu
                se llena de gozo para
                siempre jamás.
Mi madre se llama Deifilia,
que quiere decir hija de Dios,
  flor de toda verdad.

Estoy pensando en ella con tal fuerza
que siento el oleaje de su sangre
  en mi sangre
y en mis ojos su luminosidad.
Mi madre es alegre y adora el campo
  y la lluvia,
y el complicado orden de la ciudad.
Tiene el cabello blanco, y la gracia
  con que camina
dice de su salud y de su agilidad.

Pero nada, nada es para mí tan
  hermoso
como acompañarla a rezar.
Todos los días, al responderle
  las letanías de la Virgen
—Torre de Marfil, Estrella Matinal—,
siento en mí que la suprema poesía
es la voz de mi madre delante
  del altar.
Hace un momento la oí que abrió
  su ropero,
hace un momento la oí caminar.
Cuando me enseñó a leer me enseñó
  también a decir versos
y por ese tiempo me llevó por
  primera vez al mar.
Cuando la pobreza se ha quedado
  a vivir en nuestra casa,
mi madre le ha hecho honores
  de princesa real.
Doña Deifilia Cámara de Pellicer
es tan ingeniosa y enérgica y alegre
  como la tierra tropical.

Oigo que mi madre ha salido de su
   alcoba.
El silencio es tan claro que parece
   retoñar.
Es un gajo de sombra a cielo abierto,
es una ventana acabada de cerrar.
Bajo la noche la vida crece
   invisiblemente.
Crece mi corazón como un pez en
   el mar. . .

Bernardo Ortiz de Montellano
capitalino
1899-1949

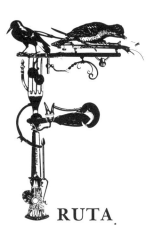

RUTA

Fruta que el pájaro pica
no madura ya.
Amor que no se complica
se va.

LOS CINCO SENTIDOS

1

En el telar de la lluvia
tejieron la enredadera
—¡Madreselva, blanca y rubia!—
de tu cabellera negra.

2

Si el picaflor conociera
a lo que tu boca sabe. . .

3

Iluminados y oscuros
capulines de tus ojos,
como el agua de los pozos
copian luceros ilusos.

4

Cuando te toco parece
que el mundo a mí se confía
porque en tu cuerpo amanece,
desnudo pétalo, el día.

5

Por tu voz de mañanitas
he sabido despertar
de la realidad al sueño,
del sueño a la realidad.

CROQUIS

Un cielo gris que amenaza
lluvia, tormenta o nevasca.

Un cinturón de montañas.
Una tierra seca y árida.

Ni una nube ni una casa
que pongan su nota blanca.

El viento, lento y sin ganas,
se quedó sobre unas palmas.

E L AEROPLANO

Para que las nubes no le desconozcan, permitiéndole andar entre ellas, fue vestido de pájaro. Para que pudiera volar, en giros elegantes y atrevidos, le dieron forma de caballito del diablo. Para que supiéramos que trabaja y es inteligente, le colocaron en el abdomen una máquina y en la cabeza una hélice que zumba como abeja sin panal.

Manchado de azul desgranando la rubia mazorca del día va el aeroplano, sujeto de la mano del piloto y a la voluntad de las cataratas del viento, dibujando el paisaje —magueyes, torres de iglesia, indios cargados como hormigas— en su cuaderno de notas cuadriculado.

Enrique González Rojo
sinaloense
1899-1939

LOS CUATRO MARES

(Fragmentos)

Mar del amanecer

Alegre, tranquilo,
acaricias la nave.
          Tan sereno
como el monte,
tu guardián eterno.

Mar del mediodía

El sol tocó las aguas y acrecentó
    su canto.
Esta ola viajera
desparramó su música
sobre la arena.

Mar de la tarde

Lo que antes era fino concierto,
hoy es una sinfonía:
cobre de los instrumentos
en las cuerdas de oro del día.

Mar bajo la luna

Bajo la noche, de la nave
han salido las mismas preguntas:
—¿Acaso sabemos hacia
  dónde vamos?
—¿Nos habremos equivocado
  de ruta?

Hace tiempo que dejamos la tierra,
y por el mar de la aventura
arribaremos esta noche
a la capital de la luna. . .

GUIJARROS

¿Qué haré yo con tantos guijarros[1]?
Son duros y lisos, redondos y claros.
¿Qué haré yo con tantos guijarros?

Con ellos podría construir un palacio
o tender un puente sobre el lago.
Con ellos podría —hondero
  fantástico—
derribar uno a uno los astros.
Contando el tesoro, pasara mil años.
¿Valdría la pena contarlo?
Y luego, ¿qué haría con tantos
  guijarros?

Las ondas transcurren con un solo
  cántico,
las hojas se caen del árbol,
los vientos murmuran de paso.
Y mientras, ¿qué hago con estos
  guijarros?

Sentado a la orilla del lago,
pasaré mi vida lanzando a las ondas
guijarros, guijarros. . .
Miraré los círculos que se van
formando,
creciendo primero y después
  borrando.
Oiré cómo se hunden cantando.

Y todo será tan limpio, tan claro:
las aguas profundas, los días de
  mayo,
la luz en los ojos, la fuerza en el
  brazo,
y siempre cayendo guijarros,
  guijarros. . .

1. *Guijarros:* Piedras de río. También se usa cuando
   sobre un daño recibido sobrevienen otros mayores,
   o cuando una situación empeora, en vez de mejo-
   rar.

José Gorostiza
tabasqueño
1901-1973

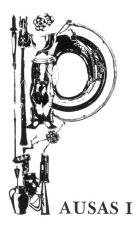

PAUSAS I

¡El mar, el mar!
Dentro de mí lo siento.
Ya sólo de pensar
en él, tan mío,
tiene un sabor de sal mi
   pensamiento.

PAUSAS II

No canta el grillo. Ritma
la música
de una estrella.

Mide
las pausas luminosas
con su reloj de arena.

Traza
sus órbitas de oro
en la desolación etérea.

La buena gente piensa
—sin embargo—
que canta una cajita
de música en la hierba.

ELEGÍA

A veces me dan ganas de llorar,
pero las suple el mar.

E ALEGRA
EL MAR

A Carlos Pellicer

Iremos a buscar
hojas de plátano al platanar.

Se alegra el mar.

Iremos a buscarlas en el camino,
padre de las madejas de lino.

Se alegra el mar.

Porque la luna (cumple quince
   años apenas)
se pone blanca, azul, roja, morena.

Se alegra el mar.

Porque la luna aprende consejo
   del mar,
en perfume de nardo se quiere
   mudar.

Se alegra el mar.

Siete varas de nardo desprenderé
para mi novia de lindo pie.

Se alegra el mar.

Siete varas de nardo; sólo un aroma,
una sola blancura de pluma
   de paloma.

Se alegra el mar.

Vida —le digo— blancas las desprendí,
   yo bien lo sé,
para mi novia de lindo pie.

Se alegra el mar.

Vida —le digo— blancas las desprendí.
¡No se vuelvan oscuras por ser de mí!

Se alegra el mar.

¿QUIÉN ME COMPRA
UNA NARANJA?

A Carlos Pellicer

¿Quién me compra una naranja
para mi consolación?
Una naranja madura
en forma de corazón.

La sal del mar en los labios
¡ay de mí!
La sal del mar en las venas
y en los labios recogí.

Nadie me diera los suyos
para besar.
La blanda espiga de un beso
yo no la puedo segar.

Nadie pidiera mi sangre
para beber.
Yo mismo no sé si corre
o si deja de correr.

Como se pierden las barcas
¡ay de mí!
como se pierden las nubes
y las barcas, me perdí.

Y pues nadie me lo pide,
ya no tengo corazón.
¿Quién me compra una naranja
para mi consolación?

ANCIÓN

Iza la flor su enseña[1],
agua, en el prado.
¡Oh, qué mercadería
de olor alado!

¡Oh, qué mercadería
de tenue olor!
¡Cómo inflama los aires
con su rubor!

¡Qué anegado de gritos
está el jardín!
"¡Yo, el heliotropo[2], yo!"
"¿Yo? El jazmín."

Ay, pero el agua,
ay, si no huele a nada.

Tiene la noche un árbol
con frutos de ámbar;
tiene una tez la tierra,
ay, de esmeraldas.

El tesón de la sangre
anda de rojo;
anda de añil el sueño;
la dicha, de oro.

Tiene el amor feroces
galgos morados;
pero también sus mieses,
también sus pájaros.

Ay, pero el agua,
ay, si no luce a nada.

Sabe a luz, a luz fría,
sí, la manzana.
¡Qué amanecida fruta
tan de mañana!

¡Qué anochecido sabes,
tú, sinsabor!
¡cómo pica en la entraña
tu picaflor!

Sabe la muerte a tierra,
la angustia a hiel.
Este morir a gotas
me sabe a miel.

Ay, pero el agua,
ay, si no sabe a nada.

(Baile)

Pobrecilla del agua,
ay, que no tiene nada,
ay, amor, que se ahoga,
ay, en un vaso de agua.

---

1. *Enseña:* Insignia o estandarte.

2. *Heliotropo:* (Helio: sol; tropos: movimiento).Flor
   pequeña de color lila y aromática que se usa como adorno; gira volviéndose hacia el sol como el
   girasol.

53

Jaime Torres Bodet
capitalino
1902-1974

EN EL MAPA

El niño está pensando frente al mapa.
En ese mundo vertical, que tiene
—como dos grandes ojos de colores—
dos hemisferios hechos para verle,
sin nombre aún, desierta y conocida,
una isla entre todas lo convence.

Esa isla está en él. Es su conquista.
Y lo que la protege
no es el árido azul de un mar
   de imprenta,
sino la historia hermosa de
   un naufragio,
en un cuento escuchado hace
   ya meses.

En la isla sin nombre
la rosa de los vientos desfallece,
las guacamayas hablan
de selvas anteriores al diluvio
y la aurora rescata
de las honradas olas, diariamente,
todo lo que devuelve de un buen
   naufragio:
brújulas y escopetas, mástiles
   y toneles. . .

Bajo la sombra húmeda
de las palmeras verdes
¡qué dulce es recordar lo que
   dejamos
de este lado del mundo: el jardín
   breve,
la casa sin piratas,
y el dócil mapa sobre el muro
   indemne[1]!

El mapa está en el cuarto.
   En el mapa está el mundo.
En el mundo la isla. Y, de repente,
en la isla, otra vez, pero más bellas,
como no vistas nunca,
la ciudad familiar, sus viejas fuentes,
la casa muda y la ruidosa escuela,
¡las mismas cosas que se han
   visto siempre!

1. *Indemne:* Libre o exento de daño.

57

Xavier Villaurrutia
capitalino
1903-1950

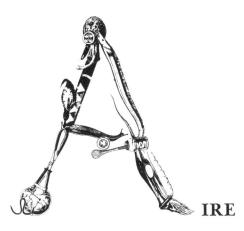

AIRE

El aire juega a las distancias:
acerca el horizonte,
echa a volar los árboles
y levanta vidrieras entre los ojos y
  el paisaje.

El aire juega a los sonidos:
rompe los tragaluces del cielo,
y llena con ecos de plata de agua
el caracol de los oídos.

El aire juega a los colores:
tiñe con verde hojas el arroyo
y lo vuelve, súbito, azul,
o le pasa la borla de una nube.

El aire juega a los recuerdos:
se lleva todos los ruidos
y deja espejos de silencio
para mirar los años vividos.

LA VISIÓN DE LA LLUVIA

Va por el camino lodoso y helado
con los ojos fijos, sin volver al lado
la cabeza baja y las manos yertas
que parecen lilas marchitas
  o muertas. . .

La lluvia semeja sucia muselina[1]
que se deshilacha en la hierba fina
y el sol desmayado se esfuma
  a lo lejos,
apenas enviando pálidos reflejos.

¡Visión de la lluvia tan lenta
  y tan triste
que cantando llora y de gris se viste,
que nubla el paisaje de la carretera
con las humedades de su cabellera. . .

Visión de la lluvia, la de manos
yertas que parecen lilas marchitas o
  muertas!

1. *Muselina:* Tela de algodón fina y poco tupida. 61

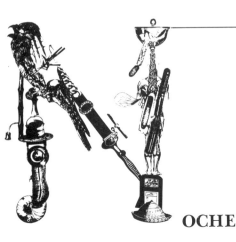 **OCHE**

Cielo increíble,
tan estrellado y azul
como en la carta astronómica.

¡También en la noche rueda
sonando el agua incansable!
Y hay una luz tan morada,
tan salpicada de oro
que parece mediatarde.

Arroyos que se han dormido,
blancos de plata, se tienden
en el verde los caminos.

A aquella estrella señera[1],
quedada atrás, olvidada,
cantémosle una canción,
lánguida y exagerada.
Que el eco hará la segunda
voz, y el viento en las ramas
acompañará la letra
tocando cuerdas delgadas. . .
          "Estrellita reluciente,
préstame tu claridá
para seguirle los pasos
a mi amor que ya se va."

CANCIÓN

Silencio, silencio
que todo lo oyes,
como los niños tímidos,
desde los rincones,
dame tu consuelo,
dame tu consejo,
¿qué haré si está Ella,
con el cuerpo cerca,
con el alma lejos?

Que al viento, que al viento
yo se lo decía,
y el viento, y el viento
por oír su son en las hojas,
por oír su son
no me oía.

Que al agua, que al agua
se lo repetía,
y el agua, y el agua
por verse en mis ojos
no me respondía. . .

Que al cielo, que al cielo
yo se lo gritaba,
y el cielo, y el cielo
no sé si me oía,
¡tan alto así estaba!

¡Silencio, silencio!
¿Qué haré si está Ella,
con el cuerpo cerca,
con el alma lejos. . .?

1. *Señera:* Sola, solitaria; única, sin par.

UITE DEL INSOMNIO

(Fragmentos)

Eco

La noche juega con los ruidos
copiándolos en sus espejos
de sonidos.

Silbatos

Lejanos, largos,
—¿de qué trenes sonámbulos?—
se persiguen como serpientes,
ondulando.

Reloj

¿Qué corazón avaro
cuenta el metal
de los instantes?

Agua

Tengo sed.
¿De qué agua?
¿Agua de sueño? No,
de amanecer.

Alba

Lenta y morada
pone ojeras en los cristales
y en la mirada.

NOCTURNO EN QUE NADA SE OYE

(Fragmento)

¿Qué son labios? ¿qué son miradas
   que son labios?
y mi voz ya no es mía
dentro del agua que no moja
dentro del aire de vidrio
dentro del fuego lívido que corta
   como el grito
Y en el juego angustioso de un
   espejo frente a otro
cae mi voz
y mi voz que madura
y mi voz quemadura
y mi bosque madura
y mi voz quema dura
como el hielo de vidrio
como el grito de hielo
aquí en el caracol de la oreja
el latido de un mar en el que
   no sé nada
en el que no se nada
porque he dejado pies y brazos
   en la orilla. . .

PERFECCIÓN FUGAZ

Para el poeta Carlos Pellicer

Pinté el tallo,
luego el cáliz,
despúes la corola
pétalo por pétalo,
y,
al terminar mi rosa,
la induje
a soñar su aroma.

¡Hice la rosa perfecta!

Tan perfecta,
que al día siguiente,
cuando fui a mirarla,
ya estaba muerta.

OSCURIDAD ETERNA

—El que se muere
¿qué siente?
—Que le apagan la luz
para siempre.

¡QUIÉN PUDIERA. . . !

Para el poeta Octavio Paz

Un niño
fue corriendo
a ver a su mamá
para decirle,
a gritos:
"¡Mamá, mamá,
vamos luego al corral
para que veas
cómo la gallina
ya floreó pollitos."

(Poetas, yo me digo:
¡Quién pudiera
sencillamente mirar,
sentir,
y expresar la poesía
como los niños.)

DERECHO DE PROPIEDAD

¡Nada es tan mío
como el mar
cuando lo miro!

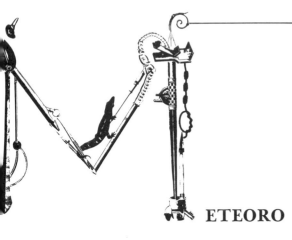

METEORO

Sobre la mesa
un vaso
se desmaya,
                rueda,
                        cae.

Al estrellarse
contra el piso,
una galaxia
                nace.

CARRO ALEGÓRICO

La gallina
con sus doce pollitos,
arrogante,
pasea por el corral:
¡es un carro alegórico
con música y jolgorio
que desfila triunfal,
así como si fuera el martes
de alegre y animado carnaval!

SOBRESALTO

¡Qué perfecto
salto mortal
ha echado el sol
hacia
el otro lado del mar!

Salvador Novo
capitalino
1904-1974

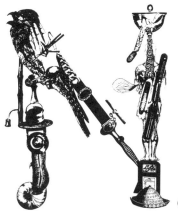

OCHE

Cabe las paredes los
grillos canturreando están.
Y unidos del brazo, van

dos. . .

El foco —es tarde— bosteza.
Cierran una puerta, y se
ve dentro una vieja que

reza. . .

A la Luna el ojo subo:
parece una rosa té
que lanzada se

detuvo. . .

Los balcones tienen una
luz roja por dentro, y
al mirarlos pienso en mi

fortuna. . .

Pienso en amantes cariñosos. . .
Pasa un tranvía a lo lejos. . .
Dormidos, suspiran viejos

y niños. . .

Una estrella a la otra ve
y va a contarle una cosa.
Y sigue inmóvil la rosa

té. . .

VIAJE

Cajita de música,
do, re, fa, mi, re, do,
aún está fresca la pintura.

Quise abrazar ese molino,
re, mi, fa, sol. . . ,
y el tren huyó.

Una zagala[1] hace lo mismo
que sus ovejas y su árbol,
mi, fa, re, re, do,
porque todos son de corcho.

Y sin embargo
algún viento,
¡algún viento!
ha irritado el cristal opaco
de mis ventanillas,
re, mi, la, fa. . .

1. *Zagala:* Muchacha soltera. Pastora joven.

IAJE

Los nopales nos sacan la lengua
pero los maizales por estaturas
—con su copetito mal rapado
y su cuaderno debajo del brazo—
nos saludan con sus mangas rotas.

Los magueyes hacen gimnasia sueca
de quinientos en fondo
y el sol —policía secreto—
(tira la piedra y esconde la mano)
denuncia nuestra fuga ridícula
en la linterna mágica del prado.

A la noche nos vengaremos
encendiendo nuestros faroles
y echando por tierra los bosques.

Alguno que otro árbol
quiere dar clase de filología[1].
Las nubes, inspectoras de
  monumentos,
sacuden las maquetas de los montes.

¿Quién quiere jugar tennis
  con nopales y tunas
sobre la red de los telégrafos?
Tomaremos más tarde un baño ruso
en el jacal perdido de la sierra:
nos bastará un duchazo de arco iris.
Nos secaremos con algún stratus[2].

72

LA ESCUELA

A horas exactas
nos levantan, nos peinan,
  nos mandan a la escuela.

Vienen los muchachos de todas
  partes,
gritan y se atropellan en el patio
y luego suena una campana
y desfilamos, callados, hacia los
  salones.
Cada dos tienen un lugar
y con lápices de todos tamaños
escribimos lo que nos dicta el
  profesor
o pasamos al pizarrón.

El profesor no me quiere;
ve con malos ojos mi ropa fina
y que tengo todos los libros.

No sabe que se los daría todos
  a los muchachos
por jugar como ellos, sin este
pudor extraño que me hace sentir
  tan inferior
cuando a la hora del recreo les huyo,
cuando corro, al salir de la escuela,
hacia mi casa, hacia mi madre.

1. *Filología.* Estudio científico de una lengua. Particularmente, estudio científico de la parte gramatical y lexicográfica de una lengua.

2. *Stratus:* Nube que se presenta en forma de faja en el horizonte.

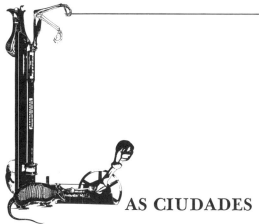

LAS CIUDADES

En México, en Chihuahua,
en Jiménez, en Parral, en Madera,
en Torreón,
los inviernos helados y las mañanas
  claras,
las casas de la gente,
los grandes edificios en que no vive
  nadie
o los teatros a los que acuden
  y se sientan
o la iglesia donde se arrodillan
y los animales que se han habituado
  a la gente
y el río que pasa cerca del pueblo
y que se vuelve turbulento
  con la lluvia de anoche
o el pantano en que se crían
  las ranas
y el jardín en que se abren
  las maravillas
todas las tardes, a las cinco, cerca
  del quiosco
y el mercado lleno de legumbres
  y cestas
y el ritmo de los días y el domingo
y la estación de ferrocarril
que a diario deposita y arranca
  gentes nuevas
en las cuentas de su rosario
y la noche medrosa

y los ojos de Santa Lucía
en el quitasol de la sombra
y la familia siempre
y el padre que trabaja y regresa
y la hora de comer y los amigos
y las familias y las visitas
y el traje nuevo
y las cartas de otra ciudad
y las golondrinas al ras del suelo
o en su balcón de piedra bajo
  el techo.

Y en todas partes
como una gota de agua
mezclarse con la arena que la acoge.

LA GEOGRAFÍA

Con estos cubos de colores
yo puedo construir un altar
  y una casa,
y una torre y un túnel,
y puedo luego derribarlos.
Pero en la escuela
querrán que yo haga un mapa
  con un lápiz,
querrán que yo trace el mundo
y el mundo me da miedo.

Dios creó el mundo
yo sólo puedo
construir un altar y una casa.

Gilberto Owen
sinaloense
1904-1952

L RECUERDO

Con ser tan gigantesco, el mar,
  y amargo,
qué delicadamente dejó escrito
—con qué línea tan dulce
y qué pensamiento tan fino,
como con olas niñas de tus años—,
en este caracol, breve, su grito.

YO LO QUE BUSCABA

Yo lo que buscaba
era un pueblito relojero
que me arreglara el corazón,

¡ay! que adelantara,
sonando la hora de otros climas
bajo el meridiano de Amor.

Lo que me faltaba
era el péndulo de tu paso
y el tic-tac de luz de tu voz,

¡ay! que constelara,
leontina de estrellas, mi pecho,
para acordar y atar al tuyo
—corazón de pulsera— mi reloj.

EN LANCHA

Cuando hasta en las pupilas fue
  de noche,
las lucecitas de la orilla
salieron a encontrarnos,
  alargándonos
sus brazos temblorosos sobre el agua.

¡Qué largo escalofrío el nuestro,
  entonces!,
porque todos sabíamos historias
en que Caperucita se perdía
en la boca de lobo de la noche.

¡Qué lástima!, ¡qué lástima!
Daba aquello tal pena,
que, como no podíamos salvarlas,
apretando los ojos, las matamos.

LA POMPA
DE JABÓN

Te saludan los pájaros, las cosas
todas afinan para ti
su mejor alba de sonrisas.

Y recuerdan tus viajes, cuando ibas
como un poco de río
redondo y frágil, por el cauce
innúmero del viento.

Y te recuerdan, Arca de Noé,
porque las regalabas a los niños,
transmutando en juguetería
de Noche Buena, el Mundo.

EL NACIMIENTO

Pastores, la Pastora
compra estrellas,
compra estrellas.

LA ANUNCIACIÓN

¿Qué más puro ruiseñor
hace cuerdas de armonía
de la piel de noche fría,
como el ángel del Señor
cuando pronuncia: "María". . .?

LA CORONACIÓN DE MARÍA

El mar, un difuso toro,
el aire, una cuerda fría,
la tierra un libro de oro,
y todo junto es un coro
para cantar a María.

EL NIÑO PERDIDO

Niños que ofrecen flores
les tiran de la barba
a los doctores.

LA CRUCIFIXIÓN

Del árbol de la muerte,
al árbol de la vida;
de la manzana muerta,
a la manzana viva.

LA ASCENSIÓN

Soñando con las nubes
yo les decía:
nubes, meced a mi niño.

LA ASUNCIÓN

Uno le puso el sol,
el otro le dio barcas
y el amor, el amor,
el amor, lo que falta.

LA CORONACIÓN

Hay un mar,
un fuego y una tierra
y un cielo para todos.

A ORACIÓN EN EL HUERTO

En sus ojitos
había sueños
color de olivo.

LA CORONACIÓN DE ESPINAS

Una vez las avispas
le llenaron la frente de rumores
y de leves caricias.

CAMINO DEL CALVARIO

Por el estanque
vienen dos lirios,
uno despacio
y otro al pasito.

LA CRUCIFIXIÓN

El niño
ha subido al nogal
con mi permiso.

Efraín Huerta
guanajuatense
1914-1982

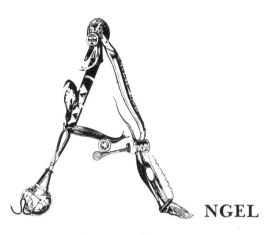

NGEL

El
Ángel
Al
Elevadorista:
"Lléveme
Al
Último
Piso.
Después
Sigo
Solo"

IMPOSIBILIDAD

Por ahora
No puedo ir
A San Miguel
De Allende

No tengo
Ni para
El
Paisaje

CANCIÓN

La luna tiene su casa
Pero no la tiene
la niña negra
la niña negra de Alabama

La niña negra sonríe
y su sonrisa
brilla como si fuera
la cuchara de plata
de los pobres

La luna tiene su casa
Pero la niña negra no tiene casa
la niña negra
la niña negra de Alabama

PUEBLO

Quiubo tú
Todavía
Víboras?
Yo creía
Que ya
      Morongas

L CABALLO ROJO

Era un caballo rojo galopando sobre
   el inmenso río.
Era un caballo rojo, colorado,
   colorado
"como la sangre que corre cuando
   matan un venado".
Era un caballo rojo con las patas
   manchadas de angustioso cobalto.
Agonizó en el río a los pocos
   minutos. Murió en el río.
La noche fue su tumba. Tumba de
   seco mármol
y nubes pisoteadas.

JURAMENTO

Juro
Que
Viviré
Hasta
Mediados
Del 70
Para
Poder
Beberme
A gusto
La
Copa
Del Mundo

LECCIÓN

El que escribe al último
Escribe mejor

Yo apenas empiezo

PASEO

Ahorita
Vengo

Voy a dar
Un paseo
Alrededor
De
Mi
Vida

   Ya vine

TANGO

Hoy amanecí
Dichosamente
Herido
De
Muerte
Natural

LÁLOC

Sucede
Que me canso
De ser dios
Sucede
Que me canso
De llover
Sobre mojado
Sucede
Que aquí
Nada sucede
Sino la lluvia
　　　lluvia
　　　lluvia
　　　lluvia

TIEMPAJE

Resulta exasperante
Que siendo más joven
Tenga más horas
De vuelo que yo
　　　Me refiero
　　　A la
　　　Compañía
　　　Mexicana
　　　De aviación

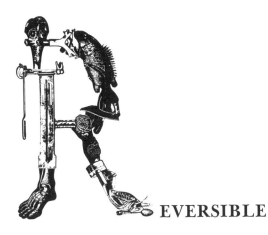

REVERSIBLE

En el espacio

Estoy

Dentro de mí

El espacio

Fuera de mí

El espacio

En ningún lado

Estoy

Fuera de mí

En el espacio

Dentro

Está el espacio

Fuera de sí

En ningún lado

Estoy

En el espacio

Etcétera

DÓNDE SIN QUIÉN

No hay
Ni un alma entre los árboles
Y yo
No sé adónde me he ido

EL DÍA

El día abre la mano
Tres nubes
Y estas pocas palabras

NIÑO Y TROMPO

Cada vez que lo lanza
cae, justo,
en el centro del mundo.

EN UXMAL

Mediodía

La luz no parpadea,
el tiempo se vacía de minutos,
se ha detenido un pájaro en el aire.

Pleno sol

La hora es transparente:
vemos, si es invisible el pájaro,
el color de su canto.

QUÍ

Mis pasos en esta calle
Resuenan
         En otra calle
Donde
      Oigo mis pasos
Pasar en esta calle
Donde

Sólo es real la niebla

PEATÓN

Iba entre el gentío
Por el bulevar Sebastó,
Pensando en sus cosas.
El rojo lo detuvo.
Miró hacia arriba:
          Sobre
Las grises azoteas, plateado
Entre los pardos pájaros,
Un pescado volaba.
Cambió el semáforo hacia el verde.
Se preguntó al cruzar la calle
En qué estaba pensando.

APARICIÓN

Si el hombre es polvo
Esos que andan por el llano
Son hombres.

ESCRITURA

Yo dibujo estas letras
Como el día dibuja sus imágenes
Y sopla sobre ellas y no vuelve

IDENTIDAD

En el patio un pájaro pía,
Como el centavo en su alcancía.

Un poco de aire su plumaje
Se desvanece en un viraje.

Tal vez no hay pájaro ni soy
Ése del patio en donde estoy.

LA EXCLAMACIÓN

Quieto
        No en la rama
En el aire
         No en el aire
En el instante
         El colibrí

POR LA CALLE DE GALEANA

A Ramón Xirau

Golpean martillos allá arriba
    voces pulverizadas
Desde la punta de la tarde bajan
    verticalmente los albañiles

Estamos entre azul y buenas noches
    aquí comienzan los baldíos
Un charco anémico de pronto
  llamea
    la sombra de un colibrí lo
  incendia

Al llegar a las primeras casas
    el verano se oxida
Alguien ha cerrado la puerta
  alguien
    habla con su sombra

Pardea ya no hay nadie en la calle
    ni siquiera este perro
asustado de andar solo por ella
    Da miedo cerrar los ojos

NIÑA

Entre la tarde que se obstina
Y la noche que se acumula
Hay la mirada de una niña.

Deja el cuaderno y la escritura,
Todo su ser dos ojos fijos.
En la pared la luz se anula.

¿Mira su fin o su principio?
Ella dirá que no ve nada.
Es transparente el infinito.

Nunca sabrá que lo miraba.

RETRATO

Al mirarme   a mí
            Tú
te miras   a ti

Rubén Bonifaz Nuño
veracruzano
1923

EL CARACOL

Jugabas, a oscuras, a hacer caminos
en la arena. El mar no te alcanzaba.
Y era una gran sombra, y una cinta
blanca, y un rumor deshecho.

LA MOSCA

Qué fácil sería para esta mosca,
con cinco centímetros de vuelo
razonable, hallar la salida.

Pude percibirla hace tiempo,
cuando me distrajo el zumbido
de su vuelo torpe.
Desde aquel momento la miro,
y no hace otra cosa que achatarse
los ojos, con todo su peso,
contra el vidrio duro que no
  comprende.
En vano le abrí la ventana
y traté de guiarla con la mano:
no lo sabe, sigue combatiendo
contra el aire inmóvil, intraspasable.

Casi con placer, he sentido
que me voy muriendo; que mis asuntos
no marchan muy bien, pero marchan;
y que al fin y al cabo han de olvidarse.

Pero luego quise salir de todo,
salirme de todo, ver, conocerme,
y nada he podido; y he puesto
la frente en el vidrio de mi ventana.

Rosario Castellanos
capitalina
1925-1974

ΊNIEBLAS Y CONSOLACIÓN

(Fragmento)

El pastor no se olvida
de la oveja enredada entre las
    zarzas
y la desata y limpia sus vellones[1]
y en sus brazos la vuelve a la
    majada[2].

¿Olvidaría el padre
a su hija más pequeña?
¿Sólo porque cuando anda se
    derrumba
y pierde su camino como ciega?
¿La olvidaría el padre
sólo porque es pequeña?

EL TEJONCITO MAYA

(En el Museo
Arqueológico de Tuxtla)

Cubriéndote la risa
con la mano pequeña,
saltando entre los siglos
vienes, en gracia y piedra.

Que caigan las paredes
oscuras que te encierran,
que te den el regazo
de tu madre, la tierra;

en el aire, en el aire
un cascabel alegre
y una ronda de niños
con quien tu infancia juegue.

---

1. *Vellones:* Guedejas de lana del carnero.

2. *Majada:* Lugar o paraje donde se recoge de noche
    el ganado y duermen los pastores.

101

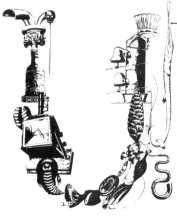# NA PALMERA

Señora de los vientos,
garza de la llanura,
cuando te meces canta
tu cintura.

Gesto de la oración
o preludio del vuelo,
en tu copa se vierten uno a uno
los cielos.

Desde el país oscuro de los hombres
he venido, a mirarte, de rodillas.
Alta, desnuda, única.
Poesía.

LAVANDERAS DEL GRIJALVA

Pañuelo del adiós,
camisa de la boda,
en el río, entre peces
jugando con las olas.

Como un recién nacido
bautizado, esta ropa
ostenta su blancura
total y milagrosa.

Mujeres de la espuma
y el ademán que limpia,
halladme un río hermoso
para lavar mis días.

Jaime Sabines
chiapaneco
1925

JUGUETERÍA Y CANCIONES

Buenos días, memoria terca,
buenos días, sangre seca,
buenos días, hueso acostado,
buenos días, aire sin mano.

(Pensar es hacer burbujas
con el corazón ahogándose.)

Buenos días, amapola,
buenos, señor oceánico,
buenos, piedra, buenos días
(¿por qué me han de dar de palos?),
tengo unas manos espléndidas
y me sobra mi tamaño.

Buenos días, doña sombra,
don árbol seco y parado,
buenos días, llano grande,
aquí, cajita del rayo,
pareces, nube, una nube
(¿quién es un barril sin aros?),
buenos días, papaoscuro,
buenos, señor cercano.

CAPRICHOS

La niña toca el piano
mientras un gato la mira.
En la pared hay un cuadro
con una flor amarilla.
La niña morena y flaca
le pega al piano y lo mira
mientras un duende le jala
las trenzas y la risa.
La niña y el piano siguen
en la casa vacía.

El cielo estaba en las nubes
y las nubes en los pájaros,
los pájaros en el aire
y el aire sobre sus manos.

La yerba le acariciaba
ásperamente los labios
y sus ojos le contaban
una tristeza de algo:
como ropa de mujer
tendida, limpia, en el campo.

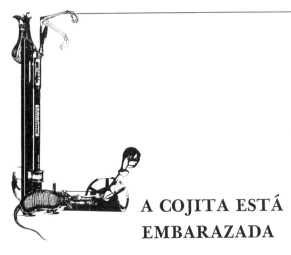

LA COJITA ESTÁ EMBARAZADA

La cojita está embarazada.
Se mueve trabajosamente,
pero qué dulce mirada
mira de frente.

Se le agrandaron los ojos
como si su niño
también le creciera en ellos
pequeño y limpio.
A veces se queda viendo
quién sabe qué cosas
que sus ojos blancos
se le vuelven rosas.

Anda entre toda la gente
trabajosamente.
No puede disimular,
pero, a punto de llorar,
la cojita, de repente,
se mira el vientre
y ríe. Y ríe la gente.

La cojita embarazada
ahorita está en su balcón
y yo creo que se alegra
cantándose una canción:
"cojita del pie derecho
y también del corazón".

EL DIABLO Y YO NOS ENTENDEMOS

El diablo y yo nos entendemos
como dos viejos amigos.
A veces se hace mi sombra,
va a todas partes conmigo.
Se me trepa a la nariz
y me la muerde
y la quiebra con sus dientes finos.
Cuando estoy en la ventana
me dice ¡brinca!
detrás del oído.
Aquí en la cama se acuesta
a mis pies como un niño
y me ilumina el insomnio
con luces de artificio.
Nunca se está quieto.
Anda como un maldito,
como un loco, adivinando
cosas que no me digo.
Quién sabe qué gotas pone
en mis ojos, que me miro
a veces cara de diablo
cuando estoy distraído.
De vez en cuando me toma
los dedos mientras escribo.
Es raro y simple. Parece
a veces arrepentido.
El pobre no sabe nada
de sí mismo.
Cuando soy santo me pongo
a murmurarle al oído
y lo mareo y me desquito.
Pero después de todo
somos amigos
y tiene una ternura como un
   membrillo
y se siente solo el pobrecito.

UÉRMETE MI NIÑO

Duérmete, mi niño, con calentura,
con dolor de cabeza,
estírate.
Duérmete con todo el cuerpo, niño,
envidia de los ángeles,
hijito enfermo.
Duérmete sin el grillo,
sin la aguja,
sin hambre.
Duérmete hasta mañana.
Duérmete, duérmete.
Vámonos a dormir,
a dormirnos.
El tubo de la noche, estírate.
Que se diga que Julio se duerme.
(Porque en la noche viene Tará
y te quita la enfermedad.
Luego encendemos el sol
con un cerillo de alcohol.)
Pero duérmete mi niño,
mi pedacito, a dormir,
a dormirse ya.
(Don Julito el fanfarrón,
don Julito es un fregón.)
Voy a sacudir tu cama:
que no tenga calentura
ni dolor de barriga
ni pulgas.
Aquí pongo este letrero
contra los mosquitos:
que nadie moleste a mi hijo.

*

Vamos a cantar:
tararí, tatá.
El viejito cojo
se duerme con sólo un ojo.
El viejito manco
duerme trepado en un zanco.
Tararí, totó.
No me diga nada usted:
se empieza a dormir mi pie.
Voy a subirlo a mi cuna
antes que venga la tía Luna.
Tararí, tuí,
tuí.

ARUMBA

(Fragmento)

¡Qué alegría del cuerpo liberado,
  Tarumba,
en el amanecer despés de la lluvia,
con el manso estar del aire
  penetrándote
y a la mano de tus ojos el cerro con
  nubes!

Gozosa piel, hora temprana,
luz tierna sonando como una
  campana.

Antes de que salga el sol criminal
vamos a correr por el pastizal,
vamos a mojarnos las piernas,
  los brazos,
la boca, los pájaros,
y a dejar el sueño sobre la maleza
con ojos abiertos como una cabeza.

Vámonos, Tarumba, antes de que
  brote
el chorro del sol guajolote
y queme las hojas y chupe y reseque
la tierra y el alma al tequerreteque.

Yo llevo a mi hijo, tú llevas un gallo
atado a la cola de un rayo;
jugamos los cuatro, mientras la
  neblina

se roba la sombra como a una
  sobrina,
y, el barro en las piernas haciendo
  de bota,
tiramos la risa como una pelota.

Un árbol se acerca, un río se calla,
y dice un conejo: ¡malhaya!
Y un burro de palo rebuzna y
  cocea
en medio de todos untado de brea.

¡El monte, la lluvia, la paja,
el cielo que sube y que baja!
¡La sangre caliente, la boca repleta,
y el mundo sonando como una
  trompeta!

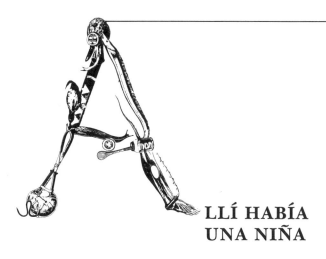

LLÍ HABÍA UNA NIÑA

Allí había una niña.
En las hojas del plátano un pequeño
hombrecito dormía un sueño.
En un estanque, luz en agua.
Yo contaba un cuento.

Mi madre pasaba interminablemente
alrededor nuestro.
En el patio jugaba
con una rama un perro.
El sol —qué sol, qué lento—
se tendía, se estaba quieto.

Nadie sabía qué hacíamos,
nadie, qué hacemos.
Estábamos hablando, moviéndonos,
yendo de un lado a otro,
las arrieras, la araña, nosotros,
  el perro.
Todos estábamos en la casa
pero no sé por qué. Estábamos.
  Luego el silencio.

Ya dije quién contaba un cuento.
Eso fue alguna vez porque recuerdo
que fue cierto.

Eduardo Lizalde
capitalino
1929

ANUNCIO

El fin del mundo está próximo.
Asista usted al gran show,
la entrada es gratis.
No necesita moverse de su sitio:
será destruido allí,
donde se encuentre,
con toda su familia.

LOBO

El lobo que busca su presa
se atiene a colmillos filosos.
Es gente carente de culpa,
no es docto ni bien educado.
¿Qué esperan del lobo, carneros?
¿Bombones, caricias, besitos,
tará tararí tarará?

VACA Y NIÑA

Los niños de las ciudades
conocen bien el mar,
  mas no la tierra.
La niña que no había visto,
  nunca, una vaca
  se la encontró en el prado
  y le gustó.

La vaca no sonreía
—está contra sus costumbres—.
La niña se le acercó, pasos menudos,
como a una fuente materna
de leche y miel y cebada.

La vaca a su vez,
rumiando dulce pastura,
miró a la pequeña triste,
como a un becerro perdido,
y la saludó contenta:
  la cola en alta alegría,
  látigo amable
  que festejaban las moscas.

113

Marco Antonio Montes de Oca
capitalino
1932

BUENAS TARDES

El rehilete morado
el barco blanco
la corneta amarilla
no puedo
amar las cosas que no tienen color
puedo amar
lo repentinamente súbito
la pupila del mar
en el ojal de mi solapa
todo casi todo
la proa como rebanada de pastel
estribor y babor
todo casi todo
el ancla el timón el capitán
el desnudo amor en cubierta
las estrellas
el rehilete morado
el arco blanco
no puedo amar las cosas que
    no tienen color.

APROVECHANDO EL ESPACIO

Tocando la tierra a diario
—Al cielo cuando el cielo me da
    permiso—
Digo dos cosas:
Hay mucha danza y poca música
Hay mucha música y poca danza.

Y ya que el espacio sobra
Digo otro par de cosas:
El poeta inventa lo que mira
Y va bien
Son otros los que avanzan
En sentido contrario.

Gabriel Zaid
regiomontano
1934

UNA PALOMA AL VOLAR

1

Una paloma al volar
su dorado pico abría;
todos dicen que me hablaba,
pero yo no le entendía.

2

Dame las alas, paloma,
para volar a tus vuelos,
para subir a los cielos
de otro cielo que no asoma.
Este cielo que me toma,
nieve y silencio temía;
y ha de caer todavía
mientras tu voz se sustraiga.
—Si está cayendo, que caiga;
no ha de durar más de un día.

3

¿Por qué ya no puedo amarte
—ay Amor— sin conocerte,
si en buscarte está la muerte
de saberte y no encontrarte?
¿Por qué de un tiempo a esta parte
en tu nombre está mi suerte?

¿Por qué, si digo no verte,
te pido que si me amas
me digas cómo te llamas
—ay Amor— para quererte?

4

Esta noche callaría,
aunque viniese la muerte.
¿Y el silencio de perderte
con qué voz te cantaría?
Naranja dulce del día,
nocturno limón celeste,
te pido un favor y es éste:
(el que la canción pedía)
que le digas a María
que esta noche no se acueste.

121

NTOLERABLE

Todo es cuestión de esperar una
   hora.
Todo es cuestión de esperar una
   eternidad.

Las muelas no se dejan escupir.
La vida no se deja alcanzar.

Ser es estar aquí con un dolor de
   muelas
y tiempo es un taladro que nunca
   ha de acabar.

CANCIÓN DE SEGUIMIENTO

No soy el viento ni la vela
sino el timón que vela.

No soy el agua ni el timón
sino el que canta esta canción.

No soy la voz ni la garganta
sino lo que se canta.

No sé quién soy ni lo que digo
pero voy y te sigo.

SERENATA HUASTECA

1
Si paso por arco y arco
cuando mirándote estoy,
en este barco me embarco
porque de este barco soy,
en este barco me voy,
porque este barco es mi barco.

2
Paloma, la que volando,
volando, me enamoró,
y yo me volé cantando,
y tú dijiste que no,
que te siguiera cantando,
pero que volando no. . .

3
Duérmete, arpa de mi amor,
ya no vuelvo a molestarte
y ni pienses que me muera
porque no puedo tocarte,
que me voy por una güera
con la música a otra parte.

4
¡Qué duro, silbando, el tren!
¡Ay, qué duro el tren silbando!
Y el adiós en el andén.
Pero tu pañuelo blando.
Cuando en tus ojos, mi bien,
me estabas amortajando.

CUMPLEAÑOS

Soplas
      todavía soplas,
           Petra,
como queriendo no apagar
las últimas velitas.

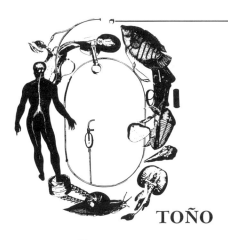

TOÑO

Las calles que necesitas
para ver por donde andes
y las peras tan blanditas
y los limones tan grandes.

El sol se deja caer
de pura felicidad,
las hojas quieren saber
que viven en la ciudad.

Y viven las piedras vivas
y los árboles de oro.
Viven las tardes cautivas,
pero por ellas no lloro.

Lloro por el triste fin
de los árboles del día.
Lloro por este jardín
que murió de geometría.

Pero tú no llores más
que el otoño está en tu pelo
y sé que te olvidarás
de la nostalgia del cielo.

Porque el amor da de sí,
y los zapatos también,
y te olvidarás de mí,
y te olvidarás de quien.

ALBA DE PROA

Navegar,
                navegar.
Ir es encontrar.
Todo ha nacido a ver.
Todo está por llegar.
Todo está por romper
a cantar.

ARAÑAZO

La tarde, como un gato, salta.
La penumbra, las uñas
que resbalan.

CUERVOS

Se oye una lengua muerta: paraké.
Un portazo en la noche: para qué.
Tienes razón: para qué.

Hay diferencias de temperatura
y sopla un leve para qué.

Un silencio podrido
llama a los paraqués.

Parapeto asesino: para qué.
Cerrojo del silencio: para qué.
Graznidos carniceros: pa-ra-qué,
  pa-ra-qué.

Un revólver vacía todos sus paraqués.
Humea una taza negra de café.

José Emilio Pacheco
capitalino
1939

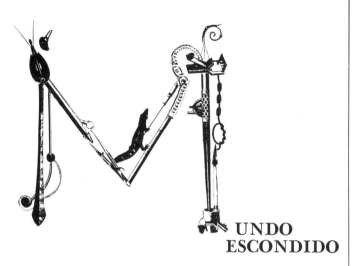

MUNDO ESCONDIDO

Es el lugar de las computadoras
y de las ciencias infalibles.
Pero de pronto te evaporas
—y creo en las cosas invisibles.

AUTOANÁLISIS

He cometido un error fatal
—y lo peor de todo
es que no sé cuál.

TRANSFIGURACIONES

Mundo sin sol
lavado por la lluvia

La luz recobra el aire

Es transparencia

Un minuto se enciende
—y cae la noche.

TARDE OTOÑAL EN UNA VIEJA CASA DE CAMPO

Alguien tose en el cuarto contiguo
    Un llanto quedo
Luego pasos inquietos
Conversaciones en voz baja

Me acerco sigilosamente
    y abro la puerta
Como temí como sabía
no hay nadie

¿Qué habrán pensado al oírme
    cerca?
¿Me tendrán miedo los fantasmas?

NOMBRES

El planeta debió llamarse *Mar*
Es más agua que *Tierra*

LA ORILLA DEL AGUA

La hormiguita que pasa
por la orilla del agua
	parece
decir adiós al inclinar sus antenas

Qué voy a hacer si pienso en ti al
	observarla
Tan segura de su misión
	tan hermosa
Siempre a punto de ahogarse
y siempre salvándose

Siempre diciendo adiós
a quien no ha de volver a verla

DANTE

Al ver a Dante[1] por la calle
la gente lo apedreaba. Suponía
que de verdad estuvo en el infierno

MONÓLOGO DEL MONO

Nacido aquí en la jaula, yo el
	babuino[2]
lo primero que supe fue: este mundo
por dondequiera que lo mire tiene
	rejas y rejas.
No puedo ver nada
que no esté entigrecido por las rejas.
Dicen: Hay monos libres.
		Yo no he visto
sino infinitos monos prisioneros
		siempre entre rejas.
		Y de noche sueño
con la selva erizada por las rejas.
Vivo tan sólo para ser mirado.
Viene la multitud que llaman gente.
Le gusta enardecerme. Se divierte
cuando mi furia hace sonar las rejas.
		Mi libertad es mi jaula.
		Sólo muerto
me sacarán de estas brutales rejas.

---

1. *Dante Alighieri:* (1265-1321). Poeta nacido en Florencia, Italia, autor de la *Divina Comedia,* obra clásica de la literatura universal; es un maravilloso poema largo que relata el viaje de un hombre , el propio Dante, de las tinieblas a la luz, es decir, del Infierno, pasando por el Purgatorio, al Paraíso, según concebía el mundo la mitología cristiana medieval.

2. *Babuino:* Mono americano de labios prominentes, hocico negro, piel parda y una mancha blanca en la frente. Es feroz, y también se le llama zambo.

BUENOS DÍAS

Buenos días a los seres
que son como un país
y ya verlos
es viajar a otra parte

buenos días a los ojos
que al abrirse han leído
el poema visible

buenos días a los labios
que desde el comienzo han dicho
los hombres infinitos

buenos días a las manos
que han tocado las cosas
de la tierra bellísima

SOL

Sol

Ojo viviente   Corazón del cielo
Vas
por este cielo antiguo con
proporción musical

EMILIANO ZAPATA

Lo volvieron calle
lo hicieron piedra

lo volvieron tarjeta postal
discurso de político

lo hicieron película
ingenio azucarero

lo volvieron bigote
traje charro

él ve nada
oye nada

LOCO EN LA NOCHE

Asomado a la ventana
cree que es mediodía
y con el cordón de la persiana en la
  mano
juega con un rayo de luz

cada cosa que toca se enciende
y de sus ojos brotan corrientes doradas
pues caminando por el cuarto oscuro
cree que su cara es el sol

131

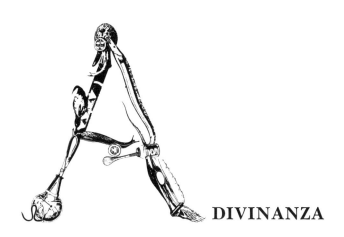 **DIVINANZA**

Para bailar me pongo la capa,
porque sin capa no puedo bailar.
para bailar me quito la capa,
porque con capa no puedo bailar.

(solución: el trompo y el cordel)

CANCIONES TONTAS PARA UNA NIÑA DE NUEVE AÑOS, SOFÍA

Ejercicio de piano para tu mano izquierda

El meñique en tus labios
el anular en la ventana
el mayor en el horizonte
el índice
en busca del pulgar
el pulgar
en busca de tus labios
lejos
     mañana
diferentes
       iguales:
una octava más altos

Ulalume González de León
nacida en Uruguay

Filo-Sofía

La nada era tan profunda
que perdí las palabras
y ya no tengo nada
con que contarte la nada

Trabalenguas

Triste tigre no trisca
ni trigo traga en los trigales
  —lánguido
miel en las lilas liba

135

JUEGOS BREVES

Juego

Si fuera niño creería
Si fuera niño crecería

Jardín de Niños

Hay niños y niñas
en las niñas
de los ojos
de las niñas
y los niños

Espejo

Todo el afuera adentro
guardado en el espejo

Inspiración

Nube de palabras
¿Lloverá un poema?

SINSENTIDO

Fui a visitar a nadie
en su casa vacía
y nos dijimos nada

Le di lo que no tengo

LA LUCIÉRNAGA
ANTOLOGÍA PARA NIÑOS
DE LA POESÍA MEXICANA
CONTEMPORÁNEA
(Quinta reimpresión)
se terminó de imprimir
en marzo de 2001
en los talleres de
Gráficas Monte Albán, S.A. de C.V.
Fracc. Agro Industrial La Cruz
Villa del Marqués, Qro.
El tiraje fue de 3,000 ejemplares